Dans la même collection

La sorcière et le magicien

Gorillo mène l'enquête

Les drôles d'idées de Dorothée

Le voyage de Perlipopette

Les Lapinos en montgolfière

Les drôles d'idées de Dorothée

Texte:
Jenny Du Mont

Illustrations:
Denise Chabot

1
DOROTHÉE S'ENNUIE !

Dorothée part en vacances dans la ferme de grand-père. Là-bas, il y a des animaux. Lesquels ? Maman n'a pas voulu le lui dire. C'est une surprise ! Alors, Dorothée a hâte d'arriver pour savoir...

Dans le train, elle joue aux devinettes toute seule. Quels sont les animaux de grand-père ?

D'abord, Dorothée pense : « Grand-père a sûrement un poney pour se promener, car la campagne, c'est si différent de la ville ! » Dorothée a juste vu la campagne sur des photos. Elle n'y est jamais allée ! Là-bas, il n'y a pas de grandes routes, juste des petits chemins de cailloux et des champs. Les voitures ne peuvent pas rouler facilement. Les poneys passent mieux !

Ensuite, Dorothée imagine : « Grand-père a forcément un âne, pour tirer sa charrette ! Grand-père doit aller au marché avec. Il ne doit pas se servir d'un caddy. »

A la campagne, les magasins sont loin des fermes. Pourvu que l'âne de grand-père soit sur le quai de la gare. Dorothée mettra sa valise dans la carriole !
Dorothée essaye de deviner encore : « Grand-père doit avoir un singe pour lui tenir compagnie. C'est si triste de vivre seul au milieu des champs ! Le singe est sûrement habillé en fermier et il joue avec grand-père ». Vivement que le train s'arrête ! Dorothée aura un copain en plus de grand-père !
Dorothée cherche encore dans sa tête : « Grand-père doit avoir un

chien pour garder la ferme. Il doit être énorme et gentil à la fois. Il ne doit jamais mordre, sauf les voleurs. » Quelle chance de passer ses vacances à la ferme avec un poney, un âne, un singe et un chien !

Tutt! Le train s'arrête! C'est la gare de la campagne. Grand-père est sur le quai. Dorothée cherche les animaux.

Dorothée regarde par la vitre. C'est difficile de voir. Il y a tant de monde! Peut-être que le singe s'est caché? Exprès, pour lui faire une farce! Peut-être que le poney, l'âne et le chien attendent hors de la gare? Exprès, pour lui faire une belle surprise!

Dorothée descend du train.
— Dorothée! crie grand-père.
Dorothée se précipite dans les bras de grand-père et lui demande :
— Grand-père! On va comment à la ferme? Tu as une carriole avec un poney?

Grand-père rit :
— Dans ma vieille teuf-teuf verte. Ça ira tout de même plus vite !

Dorothée est déçue.
— Alors, tu n'habites pas dans un champ ! Il y a des routes à la campagne pour les autos ? Tu n'as pas besoin d'un poney ?
— J'ai besoin d'une vache ! Elle me donne du lait ! répond grand-père.
— Chic ! On peut monter dessus, alors !
— Ah non ! dit grand-père. Elle se fâcherait !

Dans la teuf-teuf verte, grand-père propose à Dorothée :
— On va aller faire des courses, tu veux ?

— Oh oui! dit Dorothée. On prend la carriole avec l'âne, alors!

— Un caddy, c'est plus pratique pour aller au supermarché! dit grand-père.

— Tu n'as pas d'âne, alors? demande Dorothée.

— Non, j'ai un lapin gris! dit grand-père.

— Je pourrais l'habiller! Youpi! applaudit Dorothée.

— Ah non! Il ne se laisserait pas attraper. Bientôt, j'achèterai une lapine. Ils auront des enfants. En attendant, il ne faut pas le déranger dans son clapier! précise grand-père.

— Ooh! dit Dorothée, de plus en plus déçue.

La ferme de grand-père est très jolie. Autour, il y a des champs. Grand-père prépare le déjeuner.

Par terre, il pose une assiette avec du grain.

— Ça, c'est pour ton singe et ton chien, je parie! dit Dorothée.

— Ni l'un! Ni l'autre! C'est pour mon coq et ma poule! répond grand-père.

— Oh, comme tu dois t'ennuyer! continue Dorothée.

— Pas du tout! dit grand-père. Je soigne mes animaux. Ils me le rendent bien! Le coq chante quand il faut se lever. Ma vache me donne du lait. Ma poule pond des œufs. Et le lapin me donnera des petits!

— Tu joues quand même avec? demande Dorothée.

— Ah non! précise grand-père. Ce sont des animaux de la ferme. Il ne faut pas les déranger dans leur travail !

— Ah bon ! Quel dommage ! soupire Dorothée, qui commence à s'ennuyer.

2
PANIQUE À LA FERME !

C'est le matin ! Dorothée se réveille.
Elle bondit du lit et elle appelle :
— Ohé ! Grand-père ! Si on allait tout de suite au zoo avec ta teuf-

teuf verte ! On verrait des animaux plus rigolos !

— Cocorico ! répond une voix. Il n'y a pas de zoo ici ! Ni d'animaux très rigolos !

Mais d'où vient ce cocorico ? se demande Dorothée. Aussitôt, elle court vers le poulailler.

— C'est moi, Coco Bel Œil ! dit le coq. Je chante l'heure de se lever !

— Tu ne préfères pas jouer ? demande Dorothée. A chat perché... ou à Jacques-a-dit ?

— Je ne sais pas jouer ! dit Coco Bel Œil. Je fais le réveil-matin. C'est tout !

— Et si je t'apprenais une chanson de mon école ? propose Dorothée. « Il était un p'tit bonhomme... Pirouette Cacahuète... »

— C'est difficile à prononcer, ça ! dit Coco Bel Œil. Je sais juste dire les « co ».
— Répète ! commande Dorothée.
— Il écoco ! s'étrangle le coq en devenant tout rouge.
— Zut ! J'ai dû faire une bêtise, pense Dorothée. Pourvu que grand-père ne me gronde pas !
Et elle se sauve. Mais, au même instant, une petite voix s'élève :
— Tu nous casses les oreilles avec ta chanson !
Dorothée se penche et demande :
— Tu t'appelles comment, toi ?
— Plume ! Je ponds des œufs. Tais-toi, à la fin ! J'ai un de ces maux de tête !
— Je m'ennuie ! dit Dorothée. Je n'ai même pas mon ours en

peluche. Tu ne veux pas le remplacer et faire un câlin dans mes bras ? Je te raconterai une histoire !

— D'accord ! dit Plume. Mais une seconde, pas plus ! Sinon, je n'arriverai pas à pondre mes œufs !

— Promis ! dit Dorothée en tirant Plume par les deux ailes.

— Attention, tu me fais mal ! crie Plume. Ton jeu n'est pas drôle !
— Oh pardon ! dit Dorothée. Je ne le ferai plus jamais.

Et Dorothée se sauve à la maison. Pourvu que grand-père ne se soit aperçu de rien !

Dans la maison, Dorothée ne sait pas quoi faire.
— Dis, grand-père ! Où est ta télévision ? hurle Dorothée de toutes ses forces.
— Meuu ! répond une voix.
Dorothée sort en courant.
Quelle est cette voix ? Elle se dirige vers un vieux bâtiment et pousse une porte de bois. Brr ! Il

fait tout noir! Ça sent une drôle d'odeur!

— Oh! mais c'est la vache de grand-père! dit Dorothée. J'ai entendu « meuu! » C'est toi qui fais ce bruit?

— C'est moi, Corne Tordue! dit la vache. J'ai crié parce que j'ai soif! Grand-père a oublié de me donner à boire. Depuis que tu es arrivée, il vient me voir moins souvent!

— Ce n'est pas grave! Attends-moi, Corne Tordue. Je reviens!

Au bout d'un moment, Dorothée réapparaît.

— C'est du Coca, dit Dorothée. Aspire avec la paille, Corne Tordue.

— Hic, glup! hoquette Corne Tordue, qui n'a pas l'habitude des bulles du Coca.
— Quand même, je crois que j'ai encore fait une grosse bêtise! pense Dorothée. Est-ce que les vaches ont le droit de boire du Coca? Tant pis! Allons voir le lapin gris!
Et Dorothée court vers le clapier. Elle tire le verrou.
— Viens te promener avec moi! Grand-père ne regarde pas! Viens, lapin!
Dorothée attrape le lapin par les oreilles.
— Aïe! Attention à mes oreilles! crie le lapin. Tu tires, tu tires... et si ça continue, j'aurai l'air de quoi, moi? crie Adolphe le lapin.

— D'un âne ! Ce serait amusant, répond en riant Dorothée. Tu comprends, je m'ennuie ici. Je n'ai pas d'amis rigolos. Je croyais que grand-père avait un poney, un âne, un singe et un chien ! Tu ne veux pas devenir mon ami ? Ce serait bien ! Tu veux, dis ?

Adolphe réfléchit.

— Oui ! A condition que tu parles très doucement, dit Adolphe. Maintenant, j'entends tout trop fort avec mes oreilles géantes.

— A bientôt, Adolphe ! dit Dorothée en chuchotant. J'entends les sabots de grand-père...

3
LE COQ VEDETTE DE LA CHANSON

Le lendemain matin, le soleil est déjà chaud à travers les volets.
— C'est bizarre ! pense Dorothée. Je n'entends pas les sabots de grand-père ! Qui va me préparer mon bol de chocolat et mes tartines, s'il est parti ?

Dorothée est inquiète.
— Si grand-père était malade ! Alors, Dorothée se lève. Sans bruit, elle ouvre la porte de la chambre de son grand-père : il ronfle ! Quel ennui, mais il ne faut pas le réveiller !

Soudain, dehors, quelqu'un chante : « Il était un p'tit bonhomme ! Pirouette ! Cacahuète ! » Dorothée bondit. Elle est contente ! Maintenant, le coq sait la chanson de son école ! Comme ils vont bien s'amuser ensemble pendant les vacances ! Ils vont chanter, chanter sans arrêt ! Dorothée sort à toute vitesse. Elle a hâte d'aller voir Coco Bel Œil pour lui dire bravo.

Tiens!... La chanson s'est arrêtée! Mais où est passé le coq? Dorothée frissonne. Si c'était quelqu'un d'autre qui chantait « Pirouette! Cacahuète! » Et pas le coq... Mais si c'était une petite fille... ce serait bien! Dorothée pourrait jouer avec elle. A la ferme, Corne Tordue la vache est bien gentille... mais c'est impossible de monter dessus. Plume la poule ne pense qu'à pondre ses œufs. Et Adolphe le lapin habite dans une petite cabane de bois. C'est difficile de le promener comme un chien.
Dorothée entend à nouveau la chanson. Elle marche, marche. C'est le coq! Il est perché sur une botte de foin!

— C'est joli, non ? Je la sais par cœur ! dit Coco Bel Œil.
— Formidable ! dit Dorothée. Tu es le meilleur élève du monde entier ! Bravo !
— J'ai pris une décision, je ne serai plus jamais un réveil-matin ! dit le coq, très fier, en gonflant ses plumes.

— D'accord! dit Dorothée. Mais tu pourrais quand même réveiller mon grand-père, car il dort encore.
— Il était un p'tit bonhomme! chante Coco Bel Œil en s'envolant.

Tout à coup, la voix de grand-père résonne.
— C'est toi, Dorothée, qui chantes comme ça? Quelle heure est-il? Et pourquoi le coq ne m'a-t-il pas réveillé? Est-ce qu'il est malade?
— Pas du tout! C'est lui qui chantait! répond Dorothée.
— Hein!!! En voilà des façons pour un coq!
— Peut-être qu'il est content que je sois là! dit Dorothée.

Grand-père n'est pas content, il est en retard dans son travail.

— Et Corne Tordue qui m'attend ! Je dois la traire ! Et Adolphe, il attend ses carottes ! Et Plume, elle a besoin de ses grains !

— Je pourrais chanter cocorico le matin, dit Dorothée, qui a un peu honte... Ecoute, grand-père : Coriki...

Dorothée s'étrangle.

— Tu vois bien que c'est impossible, dit grand-père. Tu as une voix de rien du tout et en plus tu mélanges tout !

— J'ai une meilleure idée ! dit Dorothée. Tu te lèveras quand Coco Bel Œil chantera : « Il était un p'tit bonhomme ! Pirouette ! Cacahuète ! »

— Tu crois ? dit grand-père. Pourquoi pas, après tout ! Ça changera !

Le soir, Dorothée et grand-père se couchent.
— Dors bien ! dit grand-père. Alors, demain matin, je saute dans mes sabots à : « Il était un p'tit bonhomme ! Pirouette ! Cacahuète ! » J'espère que ce sera à la bonne heure !
— C'est ça ! dit Dorothée.

Mais, au bout d'une minute, Coco Bel Œil chante déjà. C'est encore la nuit, pas le matin !

Grand-père est très inquiet.
— Coco Bel Œil chante tout le temps, maintenant ! Je parie que

demain il oubliera de me réveiller ! Qui va s'occuper de mes animaux si je dors jusqu'à midi ? Ils vont croire que je les abandonne !

Heureusement, grand-père a une bonne idée. Il laisse les volets ouverts. C'est le soleil qui sera son réveil-matin !

4
LA POULE AUX ŒUFS CARRÉS

Le lendemain, le soleil réveille grand-père de bonne heure ! Quelle chance !
« C'est aussi bien que mon coq, pense grand-père, à condition qu'il n'y ait pas de nuages ! »

Puis grand-père s'habille et glisse dans la poche de son tablier les graines pour Plume. Il prend aussi un papier pour ramasser les œufs.

Doucement, grand-père ouvre la porte du poulailler.
— Piou ! Piou ! appelle grand-père en secouant les graines. Où es-tu ? C'est l'heure de se lever !
Mais Plume est invisible.

Grand-père commence à s'inquiéter. Peut-être qu'un renard est venu cette nuit. Et les renards mangent les poules ! Grand-père regarde par terre :
— Oh ! un trou ! Mais ce n'est qu'un minuscule trou de rat. Un renard n'a donc pas pu passer par là !

Cacahuète ! » J'adore tellement cette chanson que j'ai la tête à l'envers ! Ça doit être pour ça que j'ai pondu des œufs carrés. La chanson est si belle ! dit Plume en roulant des yeux brillants. Si belle, surtout quand Coco Bel Œil dit : « Pirouette ! »

Et aussitôt Plume fait une jolie

pirouette à l'endroit. Et puis une autre à l'envers !
— Tu es folle ! se fâche grand-père. Tu n'es pas un clown dans un cirque ! Tu es une poule dans une ferme ! Tu ne dois penser qu'à faire de jolis œufs ronds ! Voyons, Plume, tu as perdu la tête !
— Je ne peux pas m'empêcher d'écouter cette chanson. Ce n'est pas de ma faute !

Soudain, Plume dit : « Pirouette ! Cacahuète ! »

Grand-père est en colère ! Il met les œufs carrés dans son panier et s'en va sans un mot.

Grand-père va à la cuisine. Il ouvre un placard et sort des coquetiers.

— Oh, grand-père ! On va manger des œufs à la coque ! dit Dorothée en entrant.

— Non ! bougonne grand-père. Les œufs sont carrés ! Ils ne rentrent pas dans les coquetiers, dit grand-père en essayant de mettre les œufs dedans. Plume a la

tête à l'envers depuis que Coco Bel Œil chante : « Il était un p'tit bonhomme ! Pirouette ! Cacahuète ! » Qu'est-ce que je vais faire de ces œufs-là ? Jamais je ne pourrai les vendre au marché !
Tout le monde se moquera de ma poule ! se désespère grand-père.
— Casse les œufs pour voir, dit Dorothée. Il y a sûrement du jaune et du blanc dedans ! Comme avant !

Grand-père casse les œufs.
— Tu as raison ! Les œufs sont jaunes et blancs à l'intérieur, comme d'habitude !
— Ça, c'est bien ! dit Dorothée. Les œufs sont juste un peu carrés, c'est tout ! Ce n'est pas trop grave !

Dorothée réfléchit. Elle cherche une idée pour consoler grand-père.

— Ça y est! J'ai trouvé! Je vais apprendre à Plume une chanson. Elle aime tellement ça! Après, elle sera si contente qu'elle pondra sûrement des œufs ronds comme avant.

Alors, grand-père sourit un peu.

5
LA VACHE EST ENSORCELÉE

— Décidément, ma ferme devient bizarre depuis quelque temps ! bougonne grand-père.
— Tu trouves ? dit Dorothée. Moi non ! C'est plus drôle, au contraire ! Coco Bel Œil chante la chanson de mon école. Elle est jolie. Tu n'aimes pas ?

— Si ! dit grand-père. Mais je suis inquiet : j'ai l'impression que Corne Tordue n'est plus comme avant, elle non plus !
— Ne t'en fais pas, grand-père !

Grand-père ne répond pas. Il fronce les sourcils et se dirige vers l'étable.

Dorothée met sa petite main dans la grosse patoune de grand-père. Elle a un peu peur… « Pourvu que Corne Tordue ne raconte pas à grand-père que je lui ai donné à boire du Coca ! » Alors, Dorothée chante à tue-tête. Exprès pour que grand-père n'entende pas si Corne Tordue voulait lui parler !… Elle chante n'importe quoi, la tra la… Mais surtout pas « Il était un p'tit

bonhomme ! Pirouette ! Cacahuète ! » car grand-père a l'air très fâché !
Heureusement, la vache ne dit rien. Elle tourne la tête vers Dorothée avec des yeux tristes.
Tout à coup, un petit bruit, « glouglou », résonne dans l'étable.
— Zut, pense Dorothée. On dirait le glouglou d'une bulle de Coca !...
— Nom d'une pipe ! dit grand-père, Corne Tordue a mal au ventre ! Tu as entendu le glouglou !
— Mais non ! C'est une grenouille ! dit Dorothée.
— Corne Tordue a le museau chaud ! C'est très mauvais signe ! dit grand-père.
— Mais non ! C'est le rayon du soleil ! Il tombe juste sur son nez, c'est normal ! dit Dorothée.

— Hum! tousse grand-père, de très mauvaise humeur.
Puis grand-père installe un petit tabouret tout près du ventre de la vache, et pose un seau sous les pis de Corne Tordue.
— Attention, grand-père! Tu lui fais mal! Tu tires sa peau!
— Je trais Corne Tordue! explique grand-père. Je prends son lait. Après, elle sera plus légère... et demain elle me donnera encore du lait.
— Ah! dit Dorothée, qui a juste vu du lait en cartons chez elle à la ville.
— Tu veux en goûter une lichette? dit grand-père en regardant dans le seau... Aaah ça... a..lors! bégaye grand-père. Le lait a des bulles marron!

— C’est comme le Coca de la ville ! dit Dorothée. Est-ce que c’est grave si Corne Tordue donne du Coca ?

Et Dorothée devient toute rouge. Tout ce qui arrive est un peu de sa faute !

— Du Coca ? demande grand-père.

— Du Coca ! Ça vient d’Amérique ! Dans ma ville, on vend du Coca dans de petites boîtes de fer ou des bouteilles. Goûte ! Ça pique et ça fait rire ! dit Dorothée.

Et elle tend à son grand-père la petite boîte de Coca qu’elle avait cachée dans l’étable.

— Pouah ! Ça sent le médicament pour la gorge ! dit grand-père en postillonnant.

— Tu trouves? dit Dorothée.
— Et même ça sent... dit grand-père en reniflant... Ça sent...
Soudain, grand-père met son doigt sur sa bouche. Il prend un air mystérieux et dit :
— Je vais te dire, moi, ce que ça sent! Ça sent la potion magique de la mère Savonnette. C'est une

vieille femme un peu sorcière. C'est elle qui a dû ensorceler ma vache! La mère Savonnette est jalouse parce que Corne Tordue donne du très bon lait. Elle aimerait bien en avoir comme celui-là!

Et grand-père sort de l'étable.

6
LE LAPIN AUX OREILLES D'ÂNE

— Grand-père ! dit Dorothée. Si on allait tous les deux donner à manger à Adolphe, le lapin gris ? Je pourrais lui faire des carottes râpées, des radis et un gâteau au chou !

Dorothée a tellement envie que grand-père ne soit plus triste !
— Du trèfle ! Ça suffira ! dit grand-père, qui pense plutôt au lait de Corne Tordue.

Grand-père et Dorothée se dirigent vers le clapier. En chemin, grand-père sursaute.
— Tu as entendu ce bruit, Dorothée ? C'est bizarre ! On dirait...
Grand-père se retourne.
— Non... il n'y a pas d'âne. Et pourtant, j'ai cru entendre un âne.
— Tu as rêvé, grand-père ! dit Dorothée. Je t'assure qu'il n'y a pas d'âne !

Grand-père se met à courir vers le clapier.
— Dorothée ! Dorothée ! appelle

grand-père. Au secours !

Dorothée bondit.
— Mais qu'est-ce qu'il y a, grand-père ? Pourquoi as-tu crié au secours ! Tu t'es fait mal ?
Grand-père s'essuie le front avec son mouchoir.
— Regarde Adolphe ! s'écrie grand-père. Il a des oreilles d'âne et une voix d'âne ! Le reste, c'est un lapin encore...

Dorothée ne dit rien.

« Zut alors ! pense Dorothée. Je n'aurais jamais dû tirer sur ses oreilles comme ça pour le promener ! Et moi qui croyais qu'elles redeviendraient petites comme avant !... »

— Adolphe ! chuchote Dorothée pendant que grand-père a le dos tourné. Adolphe ! Ne dis rien à grand-père ! Il me gronderait, tu promets, dis ?

— Chut ! Je t'ai déjà dit de ne pas parler si fort ! Et puis je suis si laid ! C'est de ta faute ! dit Adolphe.
Adolphe secoue ses oreilles. Elles prennent toute la place dans la cage !
— C'est joli ! dit Dorothée. Cela lui va bien.
— Je me demande qui a bien pu faire ça ! dit grand-père. Les oreilles n'ont pas poussé toutes seules !

Dorothée regarde Adolphe. Pourvu qu'il ne dise rien !
— C'est peut-être la mère Savonnette qui a donné une potion magique à Adolphe ! dit Dorothée.
— Ça, c'est impossible ! dit grand-père. Ça lui est bien égal que j'aie

un lapin. Elle n'est pas jalouse. Il ne peut pas donner du fromage, lui !

— Ce serait drôle, un lapin qui ferait du fromage ! rit Dorothée.

— Ne dis pas de sottises ! se fâche grand-père.

Alors, Dorothée ne dit plus rien.

— Les oreilles d'Adolphe n'ont pas poussé toutes seules ! répète grand-père d'une voix sévère.

Et il fait les gros yeux à Dorothée.

— Mais ce n'est pas moi ! ment Dorothée.

Ensuite, grand-père tire le verrou du clapier. Il prend Adolphe dans ses bras.

— Il est plus lourd qu'avant ! dit grand-père.

Il caresse ses oreilles d'âne.
— Mon petit Adolphe ! Tu es un beau lapin tout de même, tu sais !

Seulement voilà ! Qu'est-ce que dira la lapine que j'achèterai quand elle verra ces oreilles-là ?
— Elle dira : « Quel beau lapin vous êtes ! » Et comme nous aurons de jolis enfants, nous les appellerons « Oreilles d'âne », dit Dorothée.
— Non, elle se moquera de lui ! Et jamais de la vie je n'aurai de petits d'Adolphe, mon pauvre lapin ! dit grand-père.
Grand-père remet Adolphe dans sa cabane et lui donne du trèfle. Puis il referme le clapier.
Dorothée est contente : « Quand

même, Adolphe est vraiment mon meilleur ami ! Il n'a pas dit à grand-père que c'était moi qui avais allongé ses oreilles ! »

7
DOROTHÉE A HONTE !

Maintenant, Dorothée n'ose plus regarder grand-père dans les yeux. Elle a honte ! Depuis son arrivée à la ferme, elle a fait tant de sottises ! Si au moins grand-père lui disait : « Dorothée, je sais tout, je t'ai vue ! C'est toi qui as appris à Coco

Bel Œil la chanson. Et c'est à cause de cette chanson que Plume pond des œufs carrés. C'est toi aussi qui as donné à boire du Coca à Corne Tordue. C'est encore toi qui as allongé les oreilles d'Adolphe. Tu l'as tant promené comme un chien! Je t'ai vu! »

Mais voilà, grand-père n'a rien vu! Il ne sait rien! Il croit que tous ces malheurs sont arrivés tout seuls ou un peu aussi à cause de la mère Savonnette. C'est pour ça que grand-père ne lui donne pas une bonne fessée. Alors, Dorothée n'ose plus parler à grand-père. Elle a honte!

En cachette, sans bruit, Dorothée va trouver son ami Adolphe.

— Adolphe ! dit Dorothée, grand-père ne sait pas que c'est moi qui ai fait toutes ces bêtises. Je n'ose pas le lui dire non plus, j'ai honte ! Qu'est-ce qu'on peut faire ?
— Rien ! boude Adolphe.
— Mais mon grand-père est si triste ! dit Dorothée. Il faut réparer ! Je voudrais que la ferme redevienne comme avant ! Je voudrais tant faire plaisir à mon grand-père !

Adolphe réfléchit longtemps.
— D'abord, mes oreilles ne redeviendront jamais comme avant, c'est impossible ! J'aurai toujours l'air d'un âne ! bougonne Adolphe.
— Et si on allait en cachette voir la mère Savonnette ? Peut-être

qu'elle pourrait tremper tes oreilles dans un chaudron magique en prononçant une formule bizarre ? dit Dorothée.

— Et après ? se fâche Adolphe. Si j'ai des oreilles de chauve-souris ou de ouistiti, hein ?

— On peut toujours essayer, ce serait amusant ! rit Dorothée.

— Tu es égoïste ! On voit bien que ce ne sont pas tes oreilles ! dit Adolphe en haussant les épaules.

— Et si on demandait à la mère Savonnette de changer le Coca de Corne Tordue en lait, de changer les œufs carrés de Plume en œufs ronds, tu voudrais bien ? demande Dorothée.

— Non ! dit Adolphe. Ça aussi, c'est trop dangereux ! Je ne veux pas qu'il arrive du mal à Corne Tordue, ni à Plume. Je les aime trop !

— Bon ! dit Dorothée. Tu as peut-être raison. Mais il faut trouver une idée pour que grand-père entende « cocorico » le matin, comme avant.

— Cherche ! dit Adolphe.

Dorothée réfléchit.

— Tu as trouvé ? demande Adolphe.

— Ça y est ! dit Dorothée. Voilà : tu pourrais t'exercer à chanter « cocorico » avec ta nouvelle voix ? Après, grand-père penserait que Coco Bel Œil est guéri. Il n'aurait plus besoin de se faire réveiller par le soleil.

— Ça, je veux bien essayer ! dit Adolphe. Un... deux... trois... Hi han ! crie Adolphe. Tu vois bien que je suis devenu un âne ! J'ai une voix d'âne ! pleure Adolphe.

— Écoute-moi, dit Dorothée. Un... deux... Cocorico ! chante

Dorothée en battant des bras et en devenant toute rouge.

— Ça alors ! dit Adolphe, tu es douée !
— Cocorico ! répond Coco Bel Œil à l'autre bout de la ferme.
— Ma parole ! Tu chantes si bien que Coco Bel Œil t'a prise pour un coq ! Il t'a répondu ! applaudit Adolphe.
Aussitôt, grand-père accourt.
— Mon coq est guéri ! Il ne chante plus « Il était un p'tit bonhomme ! Pirouette ! Cacahuète ! » Je suis bien content ! dit grand-père.

Dorothée et Adolphe ne disent rien.
— Il était un p'tit bonhomme ! Pirouette ! Cacahuète ! chante soudain à nouveau Coco Bel Œil...

— C'était trop beau! dit grand-père. Et il repart, la tête basse.

— Alors, qu'est-ce qu'on va faire pour que la ferme redevienne comme avant? demande Dorothée.

— Je ne sais pas encore! soupire Adolphe.

8
L'HOMME MYSTÉRIEUX

Tout à coup, Adolphe redresse ses oreilles. Il dit à Dorothée :
— Tu as entendu?
— Non, rien! dit Dorothée. D'abord, il est tard, mon grand-père va s'inquiéter! Rentre dans ta cabane, Adolphe! Je dois dîner, moi!

— Ah, non ! dit Adolphe. Tu ne vas pas me laisser seul, je te dis que j'ai entendu des pas dans la ferme. Ce n'est pas normal ! Il faut savoir qui c'est !

— Un voleur, tu crois ? frissonne Dorothée. Rentre vite dans ton clapier. S'il te faisait du mal...

— Justement, non ! dit Adolphe. Je ne veux pas qu'il arrive un malheur à grand-père, ni aux animaux ! Va dîner, toi, et couche-toi ! Pendant ce temps, je guette. Vers neuf heures, je gratterai à la vitre de ta chambre et on verra ce que l'on décidera !

— Mais... si c'était un méchant homme ou la mère Savonnette ! dit Dorothée.

— Froussarde, va ! dit le lapin.

Et il s'éloigne.
Et Dorothée court vite rejoindre grand-père !
A table, Dorothée a le nez dans sa soupe. Elle n'ose pas lever les yeux vers grand-père. Pourvu que rien de grave n'arrive ce soir !

Dorothée n'a pas faim. Elle pense à Adolphe qui va venir ce soir. Qui a marché dans le jardin ? Pourvu que ce ne soit pas un renard ou un loup-garou...
— Mange, Dorothée ! Et après, vite, au lit ! dit grand-père.
Grand-père embrasse Dorothée.
— Demain, je laisserai encore mes volets ouverts. Le soleil me réveillera. Décidément quel far-

ceur, ce Coco Bel Œil!

Dans son lit, Dorothée garde les yeux ouverts. Elle a peur, elle se cache sous son édredon. Toc toc! Dorothée glisse son menton hors de la couette. Si c'était le loup... ou le loup-garou...

— Qui est là? frissonne Dorothée.

Mais personne ne répond. Alors, Dorothée disparaît sous son lit.

— Toc toc ! Hi han ! C'est Adolphe ! Pourquoi ne réponds-tu pas ? demande le lapin en sautant dans la chambre. Mais où es-tu à la fin, Dorothée ! Réponds-moi !
Dorothée se redresse :
— Excuse-moi, je m'étais endormie sous ma couette !
Dans la nuit, Dorothée suit le lapin.
— C'est par ici, marche doucement, lève les pieds et ne fais pas de bruit ! Il y a quelqu'un dans l'étable !
— Aaah ! crie Dorothée.
— Tais-toi ! Tout va rater à cause

de toi ! chuchote Adolphe. Il faut se cacher et on va écouter tout ce qu'il dira. Je veux savoir si l'homme est dangereux ou non ! Justement, près de l'étable, il y a un marronnier.

— Cache-toi derrière, dit le lapin.

— Oh, tes oreilles dépassent ! dit Dorothée. Je vais faire un nœud !

— Aïeee... Tiens ! j'entends aussi bien qu'avant ! Tu as eu une bonne idée ! rit le lapin.

Dorothée et Adolphe écoutent.

— Je n'arrive plus à chanter « cocorico » comme avant ! dit Coco Bel Œil. Juste : « Il était un p'tit bonhomme ! Pirouette ! Cacahuète ! »

— Ça, par exemple ! ! ! dit la voix mystérieuse, c'est fou !
— Moi, c'est pire, dit Plume, je ponds des œufs carrés !
— Nooon ! C'est invraisemblable ! s'écrie l'homme.
— Et moi, dit Corne Tordue, je donne...
— Du champagne ! Je parie ! rit l'homme.
— Non, du Coca américain, dit la vache, un peu vexée.
L'homme mystérieux tousse un peu.

— Et vous voudriez redevenir comme avant, n'est-ce pas ?
— C'est ça ! crient les animaux en chœur. On en a assez !
— C'est très possible ! Je peux

vous aider, dit l'homme mystérieux.

— Tout va s'arranger! dit Adolphe. Cet homme a l'air très gentil, je crois que nous pouvons aller nous coucher maintenant!
— Quelle chance! dit Dorothée. C'est vrai qu'il a une voix gentille...

Adolphe saute dans son clapier et Dorothée va au lit.
— Quel beau réveil demain, quand Coco Bel Œil chantera « cocorico »! rêve Dorothée.

9
OÙ SONT PASSÉS LES ANIMAUX?

Le lendemain matin, c'est encore le soleil qui réveille grand-père. A table, au petit déjeuner, grand-père a du souci.
— Dorothée, c'est étrange! Coco Bel Œil ne chante même pas « Il

était un p'tit bonhomme! Pirouette! Cacahuète! » D'habitude, il me casse les oreilles à cette heure!

Aussitôt, Dorothée laisse son chocolat. Elle court partout dans la ferme; elle aussi est inquiète. Si l'homme mystérieux avait menti aux animaux, s'il était méchant, au contraire?

— Coco Bel Œil! Chante! Réponds-moi! hurle Dorothée.

Soudain, grand-père crie :

— Corne Tordue a disparu et Plume aussi!

Dorothée bondit vers le clapier. Pourvu qu'il ne soit rien arrivé à Adolphe... Parce que c'est Adolphe son préféré, son ami.

— Dorothée ! crie grand-père en arrivant tout essoufflé. As-tu vu le lapin ?

— Non ! pleure Dorothée. Il y a du trèfle dans sa cage. C'est tout !

— Qui a fait ça ? se désespère grand-père. Qui a enlevé mes animaux ?

A ce moment-là, Adolphe surgit !

— Oooh ! Adolphe ! crie Dorothée.

— Ouf, te voilà, toi ! dit grand-père. Qui a pris mes autres animaux ?

— Ecoutez, grand-père ! dit Adolphe pour le consoler. Ils ne sont peut-être pas très loin. Avec Dorothée, on va aller les chercher !

— Je viens avec vous ! dit grand-père.

— Non ! dit Adolphe en pensant à l'homme mystérieux. Ce n'est pas prudent ! Gardez la ferme, grand-père ! Si jamais les animaux revenaient tout seuls... qu'est-ce qu'ils diraient si vous n'étiez pas là ?
— Tu as raison ! dit grand-père.

Alors, bonne chance, mes amis ! Et faites bien attention en route !

Dorothée et le lapin partent à la recherche des animaux.

— Regarde bien par terre si tu reconnais les traces de sabots de Corne Tordue, dit Adolphe. Moi, je vais inspecter les buissons. Peut-être que je trouverai des plumes de Plume… ou de Coco Bel Œil…

Dorothée se penche.

— Regarde, un rond de sabot ! dit Dorothée.

Adolphe renifle aussitôt.

— Non ! Ça sent le cheval, hélas !

— Tiens ! ici, il y a une plume ! dit Dorothée. Ça, c'est bien une plume de Plume !

— Elle est toute blanche! dit Adolphe. Ma foi, tu as raison. Il faut suivre les plumes, alors. L'homme a certainement enlevé les trois animaux à la fois. Si on trouve des plumes de Plume, normalement on trouvera celles de Coco Bel Œil... et des traces de Corne Tordue!

— C'est vrai, ça! dit Dorothée quelques instants plus tard.

— Il n'y a rien du tout! Juste des traces de pneus... Plume a dû s'envoler avec Coco Bel Œil. Mais la vache, où est-elle passée?

— Peut-être un camion les a-t-il enlevés, dit Adolphe, puisque l'on voit des traces de pneus.

— Vous cherchez quelque chose,

on dirait? dit une voix. Je peux vous aider?

Dorothée et Adolphe se retournent. C'est Barbichette, la chèvre de la ferme voisine.

— Ah, vous tombez bien! dit Adolphe. Avez-vous vu, par hasard, la vache, la poule et le coq de grand-père? Ils ne sont plus à la ferme.

— Ça fait donc trois animaux en tout, dit Barbichette en comptant. Puis elle réfléchit longtemps...

— Heu oui... J'ai bien entendu trois animaux. Mais c'était hier soir, dans la nuit. Je n'ai pas pu voir leur forme. J'ai seulement entendu des bruits... et puis un moteur de voiture! Mais ce n'était ni une vache, ni un coq, ni une poule ! D'abord, il y avait un perroquet. Il chantait « Il était un p'tit... » Après, j'ai oublié ! Ensuite, il devait y avoir un oiseau fou. Il disait qu'il pondait des œufs carrés ! Enfin, il devait y avoir une bête étrange... mais pas une vraie vache. Elle disait qu'elle donnait du Coca et pas du lait !

— Par où sont-ils passés ? bondissent Adolphe et Dorothée.

— Un homme les a mis dans un camion. Il a pris la route à droite, dit Barbichette.

— Oh, merci beaucoup ! disent Adolphe et Dorothée.

10
LE CIRQUE ZAZA

Dorothée et Adolphe suivent les conseils de Barbichette. Ils prennent la route à droite. C'est facile, on voit bien les traces de pneus !

— Est-ce qu'on va marcher longtemps comme ça ? demande Dorothée. Je suis fatiguée, moi. On pourrait s'arrêter un peu !

— Non ! se fâche Adolphe. Il faut retrouver nos amis !

Au bout d'un moment, Dorothée et Adolphe parviennent à un carrefour. Où aller ? A gauche ou à droite ? Les traces de pneus sont toutes embrouillées.

— Lis les deux panneaux ! Je ne sais pas très bien lire, dit Adolphe.

— Cirque Zaza ! dit Dorothée.

— Et l'autre ? demande Adolphe.

— C'est effacé ! ment Dorothée.

Elle a tellement envie d'aller au cirque !

— Alors, en route pour le cirque ! dit Adolphe.

Bientôt, un grand chapiteau jaune apparaît. Autour, il y a trois petites cages.

— Viens voir! dit Dorothée curieuse.
— On n'est pas là pour s'amuser! dit Adolphe. On cherche nos amis!
Mais déjà Dorothée est partie! De loin, elle crie :
— Les voilà! Nos amis sont là, dans les cages!
Adolphe se précipite. Mais il a du mal à voir. Il y a tant de monde!
— Psssitt, par ici! appelle Dorothée. C'est Plume! Regarde l'écriteau sur la cage.
Elle lit : « Phénomène extraordinaire. Cette poule pond des œufs carrés. »
— Hep, Plume! C'est nous! dit Dorothée.
— Chut! dit Plume, allez-

vous-en, voilà le directeur du cirque!
Et Plume tourne la tête de l'autre côté.

— Regarde, Dorothée! dit Adolphe. Le directeur du cirque : c'est l'homme mystérieux! C'est

lui qui a enlevé nos animaux. Il en fait des phénomènes de cirque! Il gagne de l'argent avec! Quelle honte!

— Mesdames, messieurs, approchez! Dix francs! Voyez mes phénomènes extraordinaires! Rarissimes! Approchez! crie le directeur du cirque.
Plus loin, sur une deuxième cage, Dorothée lit la pancarte : « Vache rarissime! Elle donne du Coca! Deux litres par jour! »

— Approchez! Dix francs! crie un trapéziste.

— Pssitt! Corne Tordue! C'est nous! dit Dorothée, on ne t'a pas fait de mal, au moins?

— Chut ! Allez-vous-en ! dit Corne Tordue. Je suis une vedette !
Et elle s'en va au fond de sa cage.
— Elle n'a pas l'air très malheureuse ! dit Adolphe. En plus, elle se prend pour une reine. Elle nous oublie maintenant.
— Plume aussi ! dit Dorothée.

— Ran tan plan ! Messieurs ! Mesdames ! Approchez ! annonce un clown avec son tambour. Voyez le troisième phénomène unique au monde ! Ecoutez chanter le coq du cirque Zaza !
Aussitôt, tout le monde se tait. « Il était un p'tit bonhomme ! Pirouette ! Cacahuète ! » chante Coco Bel Œil.

— Bravo ! Bravo ! Vive le coq ! crie la foule.

— Peut-être que Coco Bel Œil en a assez, lui, d'être en cage ici, dit Dorothée.

— Hep, Coco Bel Œil ! chuchote Adolphe en s'approchant tout près de la cage. Nous voilà ! Tu es content ?

— Ooooh ! comme je suis heureux, dit Coco Bel Œil, il faut vite nous libérer ! On en a assez ! Le directeur du cirque Zaza va nous emmener en voyage demain ! Jamais plus nous ne reviendrons à la ferme ! Jamais plus nous ne reverrons grand-père, c'est affreux !

— Mais Plume et Corne Tordue, eux, ont l'air heureux ici ! Ils se prennent pour des vedettes ! Ils nous ont dit : « Chut ! Allez-vous-en ! » disent Adolphe et Dorothée.

— Mais non ! dit Coco Bel Œil. C'est parce qu'ils ont peur du directeur du cirque. Si vous saviez comme il est méchant !

— Ah, bon ! dit Adolphe, rassuré.

On avait peur qu'elles ne nous aiment plus!

— Ouf! dit Dorothée. J'ai eu chaud moi aussi!

— C'est le directeur qui ouvre nos cages! dit Coco Bel Œil, les clés doivent être dans son bureau.

Alors, le lapin réfléchit. Il cherche une bonne idée pour chiper les clés en secret…

— Ça y est! J'ai trouvé! dit Adolphe tout à coup.

11
LE NUMÉRO DU LAPIN

— Voilà ce que je vais faire! dit Adolphe à Dorothée. Ecoute bien!

Et le lapin se penche vers elle. Il lui chuchote un secret à l’oreille.

— Bzz… bzz… bzzz…

Tout bas, pour que personne n’entende !
— C’est une idée formidable ! dit Dorothée. Compte sur moi !
Et Dorothée s’éloigne. Elle attend Adolphe près du marchand de frites.

Immédiatement après, Adolphe va trouver le directeur du cirque Zaza.
— Bonjour ! Je m’appelle Adolphe le lapin. Comme vous pouvez le voir, je suis moi aussi un phénomène rarissime. Autant que votre vache, votre coq et votre poule ! Regardez mes oreilles d’âne ! Je suis lapin en bas et âne en haut !
— En effet ! dit le directeur. Tu as

une drôle de tête. Mais... ça ne suffit pas. Que sais-tu faire d'autre ? Peux-tu faire un numéro de cirque ?

— Un numéro... heu... bafouille Adolphe en réfléchissant très fort.

— Oui ! Par exemple, sais-tu faire sortir de l'eau par tes oreilles ? Ou de la fumée ? Ou des pétards par le nez, comme les clowns ? Les enfants adorent ça ! dit le directeur

— Heu... non ! Mais je peux faire un nœud à mes oreilles ! dit Adolphe, en se souvenant du nœud que lui avait fait Dorothée.

— C'est banal, ça ! grogne le directeur.

— Ah, si ! Je peux entendre tous les minuscules bruits. Même de très, très loin ! J'ai ce pouvoir magique ! dit Adolphe, très fier.

— Ça, c'est bien ! sourit le directeur. Je t'engage ! Tu feras un numéro. Tu vas t'appeler Maître Kiententou, le lapin magicien. Moi, je poserai des questions aux spectateurs. Toi, tu devineras ce qu'ils disent ! Tu feras ton numéro après Guss le clown. Et avant

Monsieur Royal, le dompteur d'ours.
Puis le directeur fait entrer Adolphe dans une petite pièce. Il l'habille en magicien avec un smoking noir et un chapeau haut de forme.
Mais Adolphe regarde partout... « où sont les clés des cages ? Tiens, à ce clou-là ! »
Et Adolphe chipe le trousseau quand le directeur a le dos tourné !

Aussitôt, Adolphe court rejoindre Dorothée près du marchand de frites.
— Dorothée ! Je suis engagé ! Je suis Maître Kiententou, le lapin magicien !
— Tu es beau habillé comme ça ! dit Dorothée.

— Voici les clés des cages! Pendant que je ferai mon numéro, libère nos amis! N'aie pas peur! Le directeur sera près de moi au cirque, dit Adolphe.

Le numéro du lapin commence.

— Messieurs! Mesdames! Je vous présente l'extraordinaire Maître Kiententou, le lapin magicien. Il entend tout à des kilomètres!
— Monsieur avec la cravate rouge! Dites un secret, très bas, à votre voisine et Maître Kiententou le répètera! dit le directeur.
— Bzz... bzz... bzz ... chuchote le monsieur à sa voisine.
— Maître Kiententou! Qu'a dit le monsieur à sa voisine? demande le directeur.

— « Qu'est-ce qu'on a à dîner pour ce soir ? » et « Petit bonbon... boîte à musique... mirliton... » dit Adolphe.
— C'est exact ! rougit le monsieur
— Bravo ! Hip hip hourra ! Bravo ! hurle la foule.
Pendant ce temps, Dorothée s'approche des cages de ses amis.
« Ouf ! Personne ne me regarde ! Tout le monde est au cirque ! Quel dommage, quand même, que je ne puisse pas voir le numéro d'Adolphe ! » pense Dorothée.
Mais c'est beaucoup plus important de libérer Plume, Corne Tordue et Coco Bel Œil !

— Plume, sors vite ! Et toi, Corne Tordue, ne coince pas tes cornes dans les barreaux ! Vite, Coco Bel Œil ! dit Dorothée en ouvrant les cages. Venez avec moi ! Cachez-vous derrière la boutique du marchand de frites ! Quand Adolphe aura terminé son numéro de cirque, il viendra tous nous chercher et on repartira vers la ferme !

— Adolphe fait un numéro de cirque, lui aussi ? s'étonnent les animaux. On est tous des vedettes, alors ?
— Bien sûr ! rit Dorothée, tout heureuse de retrouver ses amis.

Z

12
RETOUR À LA FERME

— Venez, vite ! dit Adolphe en arrivant tout essoufflé. Le directeur est encore à l'intérieur du cirque Zaza. Profitons-en ! En route vers la ferme !
— Tu ne vas pas resté habillé en magicien ? demande Dorothée.

— Si! Si! Si! Adolphe est très beau en smoking et en chapeau! applaudissent les animaux.
— C'est ridicule de retourner à la ferme comme ça! dit Dorothée.
— Oui, mais moi, j'aimerais montrer à grand-père que j'étais une vedette de cirque, dit Plume en gonflant ses plumes.
— Et moi un phénomène rarissime! dit Corne Tordue.
— Et moi une star! se redresse Coco Bel Œil.
— Moi, je suis bien une prestidigitatrice! J'ai ouvert vos cages, se fâche Dorothée, et je ne suis pas déguisée.
— Ça suffit! dit Adolphe, ce n'est pas le moment de vous disputer! Qu'est-ce que dira grand-père en

vous voyant vous battre ? Vous n'avez pas honte !

Les animaux baissent la tête. Ils marchent sans rien dire.

. . . .

Plus tard, au loin, le toit de la ferme apparaît.

— Ça fait rudement plaisir de revoir grand-père ! dit Dorothée.

— Dépêchez-vous ! dit Adolphe. Pauvre grand-père ! Comme il a dû se faire du souci !

Alors, tous les animaux font la course.

— Le premier qui embrassera grand-père sera élu le phénomène le plus extraordinaire ! dit Corne Tordue en galopant.

— De toutes les façons, c'est moi ! Je ponds des œufs carrés ! Ça, c'est plus rare ! dit Plume.
— Et mon Coca, alors ! Ce n'est pas rare, ça ? dit Corne Tordue.
— Il était un p'tit bonhomme ! Pirouette ! Cacahuète ! chante Coco Bel Œil à tue-tête.

— Taisez-vous! dit Adolphe. A partir de maintenant, vous n'êtes plus au cirque, mais à la ferme.
— Et ton smoking alors! dit Dorothée. Donne-le-moi!

Mais déjà Adolphe saute dans les bras de grand-père.
— Oh, mes amis! pleure grand-père de joie D'où venez-vous? Vous n'êtes pas blessés, au moins? Vous devez avoir faim et soif!

Et grand-père est si ému qu'il prépare un repas n'importe comment. Il donne du grain à Adolphe, des carottes à Plume, du trèfle à Coco Bel Œil et du saucisson à Corne Tordue…
— Ils ont été enlevés par le direc-

teur du cirque Zaza ! explique Adolphe.

— Oui, parce qu'on était des phénomènes rares ! dit Plume.

— Rarissimes ! ajoute Corne Tordue.

— Extraordinaires ! précise Coco Bel Œil.

— J'ai fait un numéro, moi aussi ! dit le lapin. J'étais Maître Kiententou…

— Ne parlez pas tous à la fois ! dit grand-père, affolé par ces aventures. Maintenant, il faut vous reposer, car vous devez être très fatigués !

— Pas du tout ! dit Dorothée. Ils vont te montrer ce qu'ils savent faire !

— Oui, je peux refaire mon numéro de cirque ! dit Adolphe.

– Et moi une douzaine d'œufs carrés ! dit Plume.
– Si on fêtait nos retrouvailles au Coca, plutôt ? dit Corne Tordue.
– Non ! On va chanter tous ensemble « il était... » ajoute Coco Bel Œil.
– Non ! se fâche grand-père. Il est l'heure d'aller à l'étable, au lit, au clapier et dans la paille ! Le cirque, c'est fini ! Vous devez être de bons animaux de la ferme. Il ne faut pas de Coca, mais du lait ! Pas d'œufs carrés, mais des ronds ! Pas de « il était un p'tit train... » mais « cocorico » ! Allez ! Ouste !
Les animaux obéissent immédiatement, car ils veulent faire très plaisir à grand-père. Mais ils pensent encore au cirque Zaza !

Quelques instants après, Dorothée pousse le verrou du clapier d'Adolphe.
— Bonne nuit, mon lapin gris !
— Quand même... c'était bien, mon numéro, soupire Adolphe !

Ensuite, Dorothée va embrasser Plume et Coco Bel Œil et elle va se coucher.

13
LA FÊTE

Le lendemain matin, tout le monde dort quand grand-père se lève, réveillé par le soleil !
Les animaux sont tous très fatigués par leur journée mouvementée !

Alors, tout doucement, grand-père ouvre la porte de l'étable. C'est l'heure de traire Corne Tordue.

— Corne Tordue! chuchote grand-père en lui caressant la tête. Tu dors?

— Non! boude Corne Tordue, seulement je voudrais bien être encore un phénomène...

— Et nous aussi! s'écrient du haut de leur perchoir Plume et Coco Bel Œil.

— Vous vous ennuyez avec moi! dit grand-père tristement. Vous voulez repartir au cirque, alors?

— Oh, non, grand-père, mais... hésite Corne Tordue.

— Oui... dit Plume, cette nuit on a pensé que...

— Quoi ? mais parlez ! dit grand-père.
— Eh bien, on aimerait donner une petite fête à la ferme, dit Coco Bel Œil. On aimerait refaire les numéros de cirque pour les montrer à tous les voisins et pour vous faire plaisir ! Vous voulez bien ?
— Mais pas dans ma ferme ! s'affole grand-père.

— Non ! Dehors ! On n'abîmera rien ! On rangera tout après ! promettent les animaux.
— Après, je repondrai des œufs ronds ! dit Plume.
— Et moi je vous donnerai du vrai lait ! dit Corne Tordue.
— Je chanterai « cocorico » tous les matins ! ajoute Coco Bel Œil.

Grand-père réfléchit longtemps.
— Si vous me promettez que tout rentrera dans l'ordre après, alors je suis d'accord, répond grand-père.
— Youpi ! Il a dit oui ! Merci, grand-père ! crient les animaux.
Tous les animaux se mettent à préparer la fête avec Dorothée.

Grand-père ne doit pas écouter, c'est une surprise !

— Je ferai mon numéro de Maître Kiententou, le lapin magicien, dit Adolphe.

— Et moi, je marcherai sur un fil ! dit Plume. Je serai funambule, grand-père sera bien étonné et je ne pondrai pas mes œufs carrés.

— Et moi, je serai juste dompteur ! dit Coco Bel Œil. Grand-père déteste tellement ma petite chanson !

— Dompteur de quoi ? dit Dorothée.

— Dompteur de souris. Il y en a plein dans la paille. Avec un fouet, je les ferai monter sur un tabouret, dit Coco Bel Œil.

— Et moi, je sauterai dans un cerceau comme un vrai lion! dit Corne Tordue.

— C'est moi qui le tiendrai! dit Dorothée. J'aurai une couronne de reine sur la tête, et je serai la reine de la fête!

Adolphe tend une corde entre deux arbres pour Plume. Coco Bel Œil va s'exercer à dompter les souris. Dorothée fabrique un cerceau en osier pour Corne Tordue et se tresse une couronne de marguerites. Quant à Adolphe, il brosse son smoking, nettoie ses oreilles d'âne et met son beau chapeau.

Pendant ce temps, grand-père fait ses invitations. Il part dans sa petite voiture verte. Par la fenêtre ouverte, il crie : « Grande fête dans ma ferme. Venez tous à 15 heures! Venez nombreux! Nous avons organisé un cirque! »

A 15 heures, les paysans arrivent avec leurs enfants et leurs animaux. Barbichette est là. Tous sont venus. Sauf la mère Savonnette. Grand-père ne l'a pas invitée, bien sûr!

La fête commence.

— Messieurs! Mesdames! Regardez la célèbre funambule! L'extraordinaire Plume! crie Dorothée.

— Oh, elle va tomber du fil! Non! Si! Non! Ouf! Bravo! crie la foule.

Plume a réussi son numéro.

— Et maintenant, voici Miss Corne Tordue, présente Dorothée.

D

— Miss Corne Tordue ! Sautez ! demande Dorothée.
— Ça alors ! Quelle légèreté ! Bravo ! dit Barbichette.
— Et voici le rarissime dompteur de souris, Monsieur Coco Bel Œil ! Applaudissez ! continue Dorothée. Clac ! D'un coup de fouet, les souris grimpent sur le tabouret et font une pyramide !
— Bravo ! Vive les souris ! Bravo ! crie la foule enthousiaste.
— Silence à présent ! dit Dorothée.
— Barbichette ! Dites un petit secret à votre maître tout bas. Maître Kiententou le magicien le répétera.
— Bzz bêe ...bêe... bêle Barbichette.

— Ces animaux sont des phénomènes rarissimes, en effet, a dit Barbichette, précise Adolphe.
— C'est vrai ! dit Barbichette. J'ai dit ça.
A la fin du spectacle, grand-père, ému, dit :
— Ça vous a plu ?
— Oh oui !... Mais grand-père, c'est vous qui les avez dressés ? demande un voisin.
— Non ! Mes amis sont doués ! C'est tout ! répond grand-père. Ce [illegible] nimaux extraordinaires !

14
TOUT RENTRE DANS L'ORDRE

— Quelle belle fête! dit grand-père.
— J'ai bien sauté haut avec mes sabots? demande Corne Tordue.
— Une vraie lionne! rit grand-père.
— Et moi, à qui ressemblais-je? demande Plume.

— A une danseuse étoile sur un fil ! dit grand-père.
— Et moi alors ? demande Coco Bel Œil. Elles ne m'obéissaient pas bien, mes souris !
— Toi, je t'embauche pour dompter les rats de la ferme ! répond grand-père, très fier.

Soudain, grand-père demande :
— Mais où sont passés Adolphe et Dorothée ? J'ai des compliments à leur faire aussi !
— On ne sait pas, dit Plume en faisant un clin d'œil à Coco Bel Œil et à Corne Tordue. Non, on ne sait pas…

Grand-père sort de la ferme en criant :
— Adolphe ! Dorothée !

Soudain, il les aperçoit. Sans bruit, il s'approche. « Mais qu'est-ce qu'ils peuvent bien se raconter comme secrets ? » Grand-père se cache derrière le marronnier. Il écoute.

— Tu crois que Plume y arrivera ? demande Adolphe.

— Mais bien sûr, et Coco Bel Œil aussi ! dit Dorothée. Il est doué !

— Mais Corne Tordue est têtue… continue Adolphe, ça m'étonnerait qu'elle veuille !

— Chut ! dit Dorothée. J'entends les sabots de grand-père craquer derrière le marronnier. Demain, il faut qu'il ait une surprise. Taisons-nous !

Déçu, grand-père s'en va.

« Qu'est-ce que c'est que cette surprise ? » se demande-t-il, un peu inquiet. Pourvu que ce soit une bonne surprise, cette fois !

Le soir, grand-père se couche. Comme d'habitude, il laisse les volets ouverts pour que le soleil le réveille.

Pendant ce temps, Dorothée et

Adolphe vont dans l'étable en cachette.

— Vous êtes prêts? C'est pour demain matin! dit Dorothée aux animaux.

— On compte sur vous! dit Adolphe.

Et ils referment doucement la porte.

Quel joli réveil aura grand-père... à condition que les animaux n'oublient rien!

Le lendemain matin, grand-père entre en courant dans la chambre de Dorothée.

— Dorothée! C'est ça, la surprise? demande grand-père, affolé. C'est vous qui avez caché dans ma ferme cet oiseau extraordinaire? Vous l'avez ramené du cirque? Il m'a réveillé à l'heure juste avec un bruit : COU COU COU COU COU! Coco Bel Œil va être jaloux, car c'est sûrement un coucou!

— Mais non, c'est Coco Bel Œil! hurle Dorothée. Ça te fait plaisir? C'est moi qui lui ai appris, ça te plaît? Il chantera toujours comme ça!

— Pas possible! dit grand-père en riant.

— Va voir! dit Dorothée. Il y a d'autres surprises qui t'attendent.

A toute vitesse, grand-père pousse la porte de l'étable.

— Grand-père! J'ai un cadeau pour vous! dit Plume. On joue à cache-tampon, il faut chercher dans la paille.

— Je brûle? demande grand-père.
— Non... froid... tiède... chaud... brûlant! hurle Plume, attention!
— Oooh! s'écrie grand-père, on dirait un œuf de Pâques! Mais on est en été! C'est toi qui as pondu cette merveille? demande grand-père.
— Oui! rougit Plume. Mais peut-être qu'il est trop gros pour entrer dans un coquetier...
— Ne t'inquiète pas, je fabriquerai un coquetier géant dans du bois! répond grand-père, tout content.

— Ohé, grand-père! appelle Corne Tordue. Vous avez soif?
Grand-père se précipite. Déjà,

Dorothée a installé le seau pour le... Coca. Mais non, c'est blanc! C'est du vrai lait comme avant! Mmmm! Quel goût fameux! Merci, Corne Tordue!

— Cou cou cou cou cou cou!

chante Coco Bel Œil en se posant sur l'épaule de grand-père.
— Bravo, quelle voix ! Tu es toujours un phénomène de cirque ! dit grand-père en l'embrassant sur le bec.
Soudain, Dorothée entre :
— J'ai une surprise pour toi ! dit Dorothée. Regarde les oreilles d'Adolphe, elles sont presque comme avant ! Tu pourras avoir de vrais lapins maintenant ! Tu es content ?
— Alors là, dit grand-père, je ne comprends pas !... Serais-tu devenue moins insupportable, par hasard ?
— D'abord, j'aime mieux m'appeler Adolphe, dit le lapin, c'est un plus joli nom pour mes enfants que Maître Kiententou.

Grand-père est tout souriant, ses yeux brillent de bonheur. Il dit :
— Oh, merci, mes amis !

FIN

TABLE DES MATIÈRES

IMPRIMÉ EN ESPAGNE PAR GRAFMAN S.A.
Pol. Ind. El Campillo Pab. A-2
Gallarta (Vizcaya).